PROHIBIDA L'ENTRADA ALS ELEFANTS

Text de
LISA MANTCHEV

Il·lustracions de
TAEEUN YOO

BLUME

Per a la meva àvia, Harriet, la primera artista que vaig conèixer
—L. M.

Per a Boreum, amb afecte
—T. Y.

Títol original *Strictly No Elephants*

Disseny Laurent Linn
Traducció Lluisa Moreno Llort
Coordinació de l'edició en llengua catalana
Cristina Rodríguez Fischer

Primera edició en llengua catalana, setembre de 2016
Reimpressió, gener de 2018
Nova edició, setembre de 2022

© 2022 Naturart S.A. Editat per BLUME
© 2016 Art Blume, S.L.
Carrer de les Alberes, 52, 2.º, Vallvidrera
08017 Barcelona
Tel. 93 205 40 00 e-mail info@blume.net
© 2016 del text Lisa Mantchev
© 2016 de les il·lustracions Taeeun Yoo

I.S.B.N.: 978-84-19094-71-1

Imprès a la Xina

El problema que té adoptar un elefantet com a animal
de companyia és que la gent no ho veu amb bons ulls.

I és que ningú més no té un elefant a casa.

Cada dia trec a passejar el meu elefant.

Val a dir que és molt considerat, i per res del món
no deixaria que em mullés.

No li agraden gaire les esquerdes de la vorera.

Sempre l'he d'agafar a coll perquè passi.
Això és el que fan els amics: ajudar-se per poder saltar les esquerdes.

Avui acompanyo el meu elefantet al
club del número 17. Hi celebren el Dia
de les Mascotes, i tothom hi anirà.

—Au, vine. T'agradarà.

Els últims metres pràcticament l'he d'arrossegar.
—T'ho passaràs bé.

Però quan aixeco el cap,
veig un rètol a la porta.

Ara és el meu elefantet el que pràcticament m'ha
d'arrossegar pel carrer. Ni hi pensa, en les esquerdes.

Això és el que fan els amics: plantar
cara a les coses que et fan por.

—Tu també has provat d'entrar a la festa del Club
de les Mascotes? —demana la nena.

—Sí —responc—. Però no hi volen elefants.

—El rètol no deia res de mofetes —apunta la nena—,
però tampoc volen que juguem amb ells.
—No els facis cas —li dic, per animar-la.

—Si no fa pudor —aclareix la nena.
—I tant que no —dic—. I si creem
el nostre propi club?

—Vine —dic, assegurant-me
que el meu elefantet em segueix.
Perquè això és el que fan els amics:
no deixar mai sol ningú.

—Podem jugar aquí —diu un
dels amics que acabem de fer.

—Tots junts.

Pintem el que serà
el nostre rètol.

PROHIBIDA
L'ENTRADA ALS
DESCONEGUTS
TOTS SOU
BENVINGUTS

El meu elefantet et guiarà si cal.

Perquè això és el que fan els amics.